# DESPUÉS DE LA REVOLUCIÓN
## 1924-1935

Instituto Nacional de Antropología e Historia

Lumen

Consejo Nacional para la Cultura y las Artes

SERIE
## PASOS Y MEMORIA

Después de la Revolución. 1924-1935

D. R. © 2008, César Navarro

COORDINACIÓN EDITORIAL  Patricia López Zepeda
ILUSTRACIÓN  Ángel Campos
DISEÑO DE LA COLECCIÓN  Igloo
DISEÑO DEL TÍTULO  Calli Diseño • Itzel Ramírez
INVESTIGACIÓN ICONOGRÁFICA Y PRODUCCIÓN DE IMAGEN Imago Tempo / Alejandra Betancourt
FOTOGRAFÍA © Fototeca Nacional del INAH.
          © encabezado de periódico *Excélsior*, p.36, AFIT.

Primera edición: octubre de 2008
Derechos exclusivos de edición en español reservados para todo el mundo:
D. R. © 2008, Random House Mondadori, S. A. de C. V.
Av. Homero No. 544, Col. Chapultepec Morales,
Del. Miguel Hidalgo, C. P. 11570, México, D. F.
www.randomhousemondadori.com.mx

D.R.© 2008, Consejo Nacional para la Cultura y las Artes
Dirección General de Publicaciones
Av. Paseo de la Reforma No. 175, Col. Cuauhtémoc
Del. Cuauhtémoc, C.P. 06500, México, D. F.
www.conaculta.gob.mx

D.R. © Coedición 2008
    Random House Mondadori, S. A. de C. V.
    Consejo Nacional para la Cultura y las Artes
    Instituto Nacional de Antropología e Historia

ISBN 978-970-81- 0142-4 de la colección Huellas de México
ISBN 978-607-429-161-2
ISBN 970-35-1520-7 / 978-970-35-1520-2 Consejo Nacional para la Cultura y las Artes

El título presentado fue *Después de la Revolución. México en los tiempos del general Calles* y cambió por
*Después de la Revolución. 1924-1935*.

Comentarios sobre la edición y contenido de este libro a:
literaria@randomhousemondadori.com.mx

Impreso en México / *Printed in Mexico*

# CONTENIDO

Gral. P. E. Calles protestando como presidente de la República. CASASOLA FOT. Mex.

# Otra vez un sonorense: el régimen presidencial de Plutarco Elías Calles

Corría la década de 1920. La sociedad mexicana apenas salía de las turbulencias de épocas recientes y miraba esperanzada el tiempo por venir. Era hora de reconstruir y hacer realidad aspiraciones hasta entonces postergadas. La conducción del país estaba en manos de los hombres que habían triunfado en la Revolución: los surgidos de tierras sonorenses.

# La trayectoria de un
# jefe de la Revolución

**El 1º de diciembre de 1924 el antiguo Estadio Nacional de la ›**

capital del país se vistió de fiesta: miles de mexicanos fueron convocados para presenciar la ceremonia oficial en la que Plutarco Elías Calles sería declarado presidente constitucional de la República mexicana. Aquello era una verdadera verbena popular; hombres y mujeres del pueblo, políticos y jefes militares revolucionarios, diplomáticos extranjeros y muchos otros invitados engalanaban el festivo ambiente, mientras Calles, con su porte altivo y el gesto adusto de siempre, juraba lealtad a la Constitución mexicana.

Quizá aquel día de diciembre se avivaron en él recuerdos de los años amargos y los múltiples obstáculos que debió sortear para alcanzar la presidencia de la República. Probablemente recordó a sus tíos, quienes cuando tenía tres años se hicieron cargo de él y de su pequeña hermana tras la muerte de su madre, y que además de cobijo para su orfandad le brindaron el apellido Calles; a su padre, quien no pudo preservar la modesta fortuna familiar ni hacerse cargo de los hijos que había procreado sin casarse con su madre. Seguramente también vinieron a su mente otras vivencias de su infancia e imágenes del paisaje y el mar de Guaymas en donde había nacido en 1877.

Desde los primeros años de su juventud, cuando aún no se sumergía en los rigores de la Revolución, el joven Plutarco debió buscar la forma de sobrevivir y labrarse un porvenir. En Hermosillo estudió y ejerció la profesión de maestro, vocación que mantendría a lo largo de su vida. Tras contraer matrimonio y procrear varios hijos a quienes debía sostener, a su labor como docente sumó diversos trabajos y ocupaciones: inspector de educación, tesorero municipal de Guaymas —cargo del que fue destituido por un presunto fraude—, administrador de un bar y agricultor. Más adelante llegó a ser propietario de un almacén para la comercialización de productos agrícolas, lo que le permitió alcanzar una situación de relativa estabilidad económica.

Por ese entonces, la campaña presidencial de Francisco I. Madero, cuyo lema era "Sufragio Efectivo y no Reelección", hacía ruido en el norte del país. Calles, atraído por el movimiento maderista, prestaba su almacén para celebrar reuniones de los antirreeleccionistas y sesiones espiritistas a las que tanto él como Madero eran adeptos. Luego, en 1911 el gobernador de Sonora lo nombró jefe de la aduana de la ciudad de Agua Prieta, con la tarea de asegurar el adecuado funciona-

6

miento de ese punto aduanal y garantizar el control político y militar del estratégico paso fronterizo. A partir de este cargo, la trayectoria política de Calles siempre fue en ascenso.

El astuto guaymense, siguiendo su olfato político, muy pronto se alinearía con otros sonorenses que empezaban a despuntar dentro del movimiento revolucionario, quienes representaban a las clases intermedias regionales y que, al igual que él, aspiraban a ser activos partícipes dentro de los nuevos cauces políticos abiertos por el gobierno de Madero. Entre sus compañeros de filas destacaban Álvaro Obregón, Benjamín Hill, Adolfo de la Huerta y Salvador Alvarado.

Cuando el presidente Madero fue destituido y asesinado en 1913, Calles y sus compañeros se levantaron en armas en contra del golpe militar encabezado por el antiguo general porfiriano Victoriano Huerta. Aunque Calles y otros revolucionarios sonorenses no tenían formación militar, muy pronto lograron formar uno de los ejércitos más numerosos y efectivos que combatieron a las fuerzas de la dictadura. En el transcurso de las campañas militares en contra de Huerta, Calles llegó a destacar como uno de los jefes revolucionarios más importantes del bando de los sonorenses, y se afirma que por sus dotes militares muy pronto obtuvo el grado de coronel y luego de general revolucionario.

7

Venustiano Carranza

Tras el derrocamiento de Huerta y la ruptura entre los grupos revolucionarios, Calles combatió por la causa del constitucionalismo bajo la conducción de Venustiano Carranza. Enfrentó exitosamente al entonces gobernador de Sonora, Francisco Maytorena, aliado del villismo, y contribuyó a que las fuerzas constitucionalistas triunfaran y recuperaran el territorio de su estado.

En 1917, casi al mismo tiempo que Carranza asumía la presidencia de la República, Calles fue nombrado gobernador de su estado natal. Durante su gestión puso en práctica algunas de las medidas que más adelante constituirían el perfil de su mandato presidencial: creó escuelas públicas, construyó obras de irrigación, carreteras y caminos, impulsó la formación de bancos para el crédito agrícola y contuvo las actividades políticas del clero católico.

Cuando la sucesión presidencial se aproximaba y afloraban las divisiones internas entre los grupos revolucionarios para definir al sucesor de Carranza, éste hizo que Calles dejara el gobierno de Sonora y lo nombró secretario de Industria, Comercio y Trabajo de su gabinete. Se ha dicho que esta medida en el fondo no fue sino un ardid de Carranza para mantener a Calles alejado de su estado y debilitar la fuerza política de los revolucionarios de Sonora.

Sin embargo, en menos de un año Calles renunció al cargo para dedicarse a promover activamente la candidatura presidencial del general Álvaro Obregón. La disputa por la presidencia devino finalmente en una revuelta acaudillada por los sonorenses en contra de Venustiano Carranza y apoyada por la mayor parte de los militares y jefes revolucionaros de todo el país. En abril de 1920 se lanzó desde Sonora el Plan de Agua Prieta mediante el cual Adolfo de la Huerta, gobernador del estado, Calles y otros militares de esa entidad desconocieron el gobierno de Carranza e iniciaron el levantamiento armado.

El movimiento corrió como reguero de pólvora y la resistencia carrancista pronto se derrumbó. Cuando los rebeldes se acercaban a la capital del país, el viejo y hasta entonces soberbio presidente intentó huir hacia el puerto de Veracruz. Pero tuvo su último sueño en la sierra de Puebla, pues una noche, mientras dormía en el pueblo de Tlaxcalaltongo, una ráfaga de balas le arrebató la vida.

Calles secretario

Después de este sobresalto y el breve interinato presidencial de Adolfo de la Huerta, Álvaro Obregón asumió la presidencia de la República en el mismo año de 1920, y Calles fue nombrado secretario de Gobernación, puesto clave dentro del poder público. Aun cuando Obregón brillaba con luz propia, la colaboración de Calles resultó de gran utilidad para avanzar en la estabilización social y política, y poner en marcha los proyectos de unificación y de reconstrucción nacional que Obregón y el grupo sonorense se habían propuesto desarrollar. Sin embargo, al acercarse el fin del periodo gubernamental de Obregón, los vientos por la sucesión presidencial se enrarecieron y de nueva cuenta se tornaron en un huracán político. Dos generales sonorenses aparecían como los candidatos más viables para ocupar la silla presidencial: Adolfo de la Huerta y el propio Plutarco Elías Calles.

Obregón recibiendo cartas diplomáticas

La inclinación y apoyo político del caudillo en favor de la candidatura del hombre de Guaymas escindió al bando de los sonorenses, y De la Huerta resolvió desafiar a sus paisanos y antiguos aliados con una nueva rebelión que fracasó rápidamente. El gobierno tenía de su lado a la mayor parte del ejército, y dispuso del apoyo de grupos campesinos y obreros, e incluso de los miembros del Partido Comunista, para derrotarla.

Adolfo de la Huerta debió exiliarse en Estados Unidos, y ya sin contendientes de por medio, Plutarco Elías Calles fue elegido presidente de la República.

Así inició el mandato de Calles; quienes lo conocían lo describían como un hombre arisco, escrupuloso y áspero, pero también reconocían que era un estadista astuto con grandes dotes de mando, que había cultivado a lo largo de su carrera revolucionaria y de su trayectoria dentro de la vida política.

Campaña contra De la Huerta

9

# Las tareas y proyectos del
# gobierno de Calles

**Las características personales y políticas de Calles >**

Calles y gabinete

Calles junto con la caja fuerte del BM

resultarían piezas clave en el ejercicio de su mandato presidencial. Para empezar, Calles se propuso disolver y superar las divisiones fraguadas dentro de las filas revolucionarias y consolidar la estabilidad política del régimen surgido de la propia Revolución. Esta era una condición necesaria para avanzar en la realización de la obra y los proyectos dentro de esta fase constructiva de la Revolución mexicana. La situación económica nacional todavía resentía las secuelas del conflicto armado, y las condiciones en las que vivía la mayor parte de la población seguían siendo precarias. Muchos de los derechos sociales otorgados por la Constitución de 1917 aún eran promesas por cumplir. En medio de estas circunstancias, y siguiendo su propia visión, Calles se echó a cuestas la tarea de iniciar una nueva etapa dentro de la vida nacional.

Los pilares en los que Calles sustentó su gobierno fueron el ejército y las organizaciones obreras agrupadas en la Confederación Regional Obrera de México (CROM), liderada por Luis N. Morones, a quien designó ministro de Industria, Comercio y Trabajo. También mantuvo estrecha relación con grupos empresariales y capitalistas a los que consideraba actores indispensables para la modernización y el progreso del país. Por supuesto procuró, asimismo, preservar la alianza establecida entre los campesinos y el régimen de la Revolución.

Pese a que en esa época una porción muy importante del presupuesto del gobierno federal se gastaba en sostener al ejército y en pagar la deuda con el extranjero, Calles se propuso aumentar las inversiones destinadas a obras públicas, desarrollar la industria y la agricultura, y mejorar las condiciones sociales de la población. Con el propósito de estabilizar la economía y las finanzas, en 1925 fundó el Banco de México, institución encargada, a partir de entonces, de emitir el dinero circulante en el territorio mexicano y resguardar el tesoro público nacional. Un año después su gobierno creó el Banco Nacional de Crédito Agrícola para financiar y alentar la producción en el campo; se hizo énfasis especial en incrementar las cosechas destinadas para el consumo alimentario de la población y el desarrollo de la ganadería y otras actividades agroindustriales. Un renglón a destacar dentro de la administración callista fue el impulso a la ampliación de la red de carreteras y caminos a lo largo del territorio nacional y al mejoramiento de los transportes. También se construyeron grandes presas y canales de irrigación que suministraron agua a diversas regiones agrícolas del país.

Otra preocupación central fue generar un ambiente propicio para el retorno y la ampliación de las inversiones extranjeras en México, que en algunos casos se habían retirado a consecuencia de las luchas revolucionarias y la inestabilidad de los años posteriores. En algún momento, el gobierno de Calles intentó aplicar mayores impuestos a las compañías que explotaban el petróleo mexicano, pero estas empresas, principalmente inglesas y estadounidenses, rechazaron el aumento de dichos aranceles y recurrieron a sus gobiernos para presionar a Calles, lo que produjo roces diplomáticos con esas naciones.

Con la llegada del embajador estadounidense Dwigth Morrow, en 1928, las tensiones tendieron a apaciguarse, pues los gobiernos de México y Washington pusieron por delante la buena vecindad entre ambos países y los intereses económicos de sus mutuas relaciones y negocios. Además, entre Calles y el embajador se estableció una estrecha amistad que permitió que en no pocos casos Morrow fungiera como atento consejero presidencial. En cierto modo esta colaboración resultó más favorable a los intereses empresariales de nuestro vecino del norte. En su época se creyó, al igual que algunos lo siguen pensando en los tiempos actuales, que sin la presencia de las empresas y el capital extranjero difícilmente la economía mexicana podía desarrollarse y alcanzar el progreso del país.

Construcción de carreteras

Dwisth Morrow

**LA CASA Y EL MUNDO**

### 1925

| México | El mundo |
|---|---|
| • Creación del Banco de México. <br> • Fundación de la Liga Nacional Defensora de la Libertad Religiosa. <br> • Aprobación de la Ley Calles, relativa a cuestiones religiosas. | • Inicia la guerra civil en Nicaragua encabezada por César Augusto Sandino. <br> • Se estrena la película *La quimera de oro* de Charles Chaplin. |

# Rasgos y perfiles de la
# política callista

**El presidente Calles, como muchos otros del >**

grupo que resultó triunfante en la Revolución, se veían a sí mismos como los genuinos herederos y portadores de las banderas enarboladas por el movimiento armado. Por ello Calles declaraba que su gobierno se regía por los principios agraristas, obreristas y nacionalistas emanados de la contienda revolucionaria, aunque tenía su propio estilo de interpretar y aplicar esos preceptos.

En cuanto a la exigencia de destruir los grandes latifundios y repartir tierras que decenas de miles de campesinos seguían demandando a los gobiernos de la Revolución, durante la administración de Calles la restitución y dotación de tierras para la formación de ejidos, si bien continuó a marchas lentas y pausadas, superó ampliamente el reparto agrario efectuado durante el gobierno del general Obregón; entre 1921 y 1924 sólo se repartieron cerca de un millón 677 mil hectáreas, mientras que durante la presidencia del general Calles se alcanzó la cifra de tres millones 200 mil hectáreas, con las que se beneficiaron más de 300 mil jefes de familia. No obstante estos avances, aún la inmensa mayoría de los campesinos seguían esperando que la reforma agraria prometida por la Revolución se hiciera verdaderamente efectiva, pues la mayor parte de la tierra cultivable se mantenía en manos privadas y en no pocos casos todavía como latifundios. Una gran parte de los campesinos seguían sobreviviendo en calidad de peones o jornaleros agrícolas con salarios muy bajos y en las mismas condiciones de atraso social y de pobreza de épocas anteriores a la Revolución.

Hacia el final de su administración, Calles planteó que el nuevo rumbo de la reforma agraria debía concentrarse en la modernización

Luis N. Morones

Otra vez un sonorense: el régimen presidencial de Plutarco Elías Calles

de las actividades agrícolas y en el aumento de la producción, más que en la continuidad y profundización del reparto agrario. Con este criterio, el gobierno callista dio mayor impulso a la formación de colonias agrícolas de propiedad privada, y en la práctica frenó la restitución de tierras para las comunidades indígenas y el reparto agrario entre los campesinos para la formación de ejidos.

La preservación de los grandes latifundios y la política de Calles en relación con el campo tuvieron como respuesta la renovación de las luchas agrarias por todo el país. En diversos estados de la República surgieron ligas de comunidades agrarias y sindicatos campesinos que luego se unieron para formar la Liga Nacional Campesina, la cual representó el primer intento de unificación autónoma de los campesinos del país, y que por su programa y objetivos sociales se alzó como la expresión más avanzada y progresista del agrarismo mexicano de esa época.

Las relaciones de Calles con el movimiento obrero, sus organizaciones y sus dirigentes se manifestaron en compromisos y formas de trato diferentes. La alianza que estableció con la CROM y la concesión de diversos puestos gubernamentales a sus principales líderes le permitió contar con un sólido apoyo de las organizaciones sindicales y de los trabajadores agrupados en la más numerosa e importante central obrera del país. De este modo pudo atemperar los conflictos entre obreros y patrones, así como generar un clima de relativa tranquilidad, favorable para desarrollar las actividades empresariales y estabilizar la economía nacional.

En tanto, las organizaciones de la CROM y sus dirigentes ampliaron su influencia, y al amparo del gobierno llegaron a controlar casi la totalidad de las representaciones obreras y a gozar de un gran poder laboral y político; sus dirigentes actuaban al mismo tiempo como representantes sindicales y como funcionarios del gobierno. Esta situación, sin embargo, propició que la organización obrera con frecuencia fuera arrastrada a una serie de compo-

Liga Nacional Campesina

nendas que a la postre resultaron desfavorables para los trabajadores y prohijaron una creciente corrupción de la que no escaparon la mayor parte de los líderes de la CROM. El más representativo de estos personajes era sin duda el fundador y principal dirigente de la CROM, Luis N. Morones, apodado el *Panzón*, quien, frente a la miserable condición en la que vivían los obreros del país, exhibía kilos de joyas sobre su pesada humanidad y se daba la gran vida de un capitalista. Con este tipo de liderazgo, los trabajadores obtuvieron muy pocos avances, si bien hubo un crecimiento de las organizaciones sindicales obreras y mediante huelgas y movilizaciones varios sectores de trabajadores empezaron a mejorar sus salarios y a conquistar algunos de sus derechos.

# Las contradicciones de una sociedad en transición

Toda época de cambios es, al mismo tiempo, una época de conflictos y contradicciones. La obra educativa de la Revolución llegaba a pueblos y comunidades hasta entonces olvidados; la escuela rural contribuía a educar y generar cambios en la vida de muchos mexicanos. Era, sin duda, uno de los empeños más trascendentes en la vida del país. Sin embargo, algunos sectores se opusieron a las trasformaciones educativas y sociales puestas en marcha, y su resistencia provocó nuevos desgarramientos dentro de la sociedad mexicana.

# Imágenes y realidades
# de la vida social

**Pese a los esfuerzos e intentos realizados en los años** › posteriores a la contienda revolucionaria por reorganizar al país y modificar la realidad social del pueblo mexicano, las soluciones de muchos problemas y rezagos seguían aplazadas. La resaca de la lucha armada y las contiendas internas de esos años, así como lo insuficiente de las acciones y reformas emprendidas por los distintos "gobiernos de la Revolución", generaban la percepción de que en realidad la vida cotidiana de la mayoría de los mexicanos muy poco había cambiado.

Los campesinos, los trabajadores y otros contingentes populares no compartían hasta entonces los beneficios de la reconstrucción y la recuperación económica que ya disfrutaban algunos sectores de las clases superiores y las nuevas élites. Cerca del 70 por ciento de la población nacional vivía en pueblos y comunidades rurales; ser campesino sin tierra, peón o indígena era, igual que ahora, sinónimo de pobre. El grueso de los trabajadores, empleados y obreros de las ciudades percibían salarios por debajo de los mínimos establecidos y en general resultaban insuficientes para cubrir las necesidades básicas de sus familias, por el alto costo de las viviendas, los alimentos y otros artículos de consumo diario. Pese a lo estipulado en el artículo 123 de

Obreros en fábrica

Las contradicciones de una sociedad en transición

Vida cotidiana en la Ciudad de México

la Constitución, en la mayoría de las empresas y los centros de trabajo no se respetaban la jornada laboral de ocho horas, los salarios mínimos y el descanso dominical. La desesperante situación que enfrentaban familias pobres en los centros urbanos por la falta de vivienda y la voracidad de los rentistas de cuartos y vecindades originó tumultos populares y huelgas de pagos por parte de cientos de inquilinos. La diferenciación económica y la desigualdad social en muy poco se habían atenuado.

Con excepción de algunos sectores de trabajadores ubicados en grandes empresas o ramas estratégicas de la industria que habían logrado imponer contratos laborales, grupos de campesinos que habían accedido a la tierra y segmentos emergentes de las clases medias, la gran mayoría de los trabajadores y campesinos persistían en condiciones de pobreza y marginación carentes de educación y muchos otros derechos.

Como en la actualidad, los contrastes entre las condiciones de vida de las clases "altas" y las clases "bajas" eran muy notorios. Gran parte de los antiguos propietarios de tierras, empresarios, comerciantes y banqueros de épocas anteriores a la Revolución habían logrado sortear los sobresaltos y reacomodos ocasionados por la contienda y mantuvieron su posición social, así como su añeja opulencia económica. Como buenos hombres de negocios, muchos de ellos supieron aprovechar las oportunidades que se presentaban en la nueva si-

tuación y acrecentaron sus bienes y fortunas. Asimismo, la expansión de las clases pudientes se vio engrosada con la llegada de los nuevos ricos surgidos desde las "filas de la Revolución" y el grupo gobernante.

Gracias al ejercicio del poder público y los cargos en el gobierno, muchos políticos, jefes y militares revolucionarios se convirtieron por "arte de magia" en terratenientes, banqueros y empresarios. Como rezaba el dicho popular, a ellos la Revolución "sí les había hecho justicia". De este modo, y en contraste con los escasos frutos que la Revolución había ofrecido a los de abajo, para un segmento del grupo gobernante los adeudos sociales de la Revolución se convirtieron en un simple discurso retórico y hueco que usaban como recurso para el manejo político y el fomento de las ilusiones de las clases populares. El compromiso de muchos otros jefes revolucionarios con los anhelos populares aún incumplidos y el potencial transformador de la Revolución estaban lejos de agotarse.

Huelga de inquilinos

Vivienda llamada "vecindad", donde habitaban las familias pobres

# El maestro Calles a la obra:
# el impulso educativo

**La clase política del régimen >**

posrevolucionario creía firmemente que los rezagos sociales y culturales de la nación serían resueltos, en gran medida, a través de una mayor educación del pueblo mexicano. Por ende, una de las tareas prioritarias de la Revolución fue expandir el sistema de educación pública mediante la construcción de escuelas e instituciones educativas, así como formar a un número cada vez mayor de maestros. La misión de la escuela debía ser colaborar con el progreso del país mediante la difusión de modos de vida, valores y símbolos comunes a todos los mexicanos, y en especial con los ideales y proyectos emanados de la Revolución. A partir de estos propósitos, y seguramente por su vocación de educador, durante su gobierno Calles mostró marcada preocupación por los problemas educativos, y el fortalecimiento y ampliación de la enseñanza pública, especialmente la destinada a la población rural.

Uno de los esfuerzos educativos más destacados del gobierno del profesor y general Calles fue la cruzada educativa que su administración emprendió en 1926 para abrir y construir miles de escuelas rurales a lo largo del territorio nacional. El objetivo era alcanzar una matrícula cercana a un millón de niños en las escuelas primarias públicas. En este proyecto educativo participaron activamente los gobiernos locales, los maestros, los padres de familia y los comités de educación de los pueblos y comunidades en donde surgieron y crecieron estas escuelas.

Los maestros de las escuelas rurales se ganaron un lugar muy importante en el seno de las comunidades; en muchos casos los pobladores incluso pagaron el salario de estos profesores, ante la falta de recursos económicos del sistema educativo. La creatividad de los profesores resultó fundamental para suplir las carencias

Calles entregando la bandera

Escuela rural

de estos modestos centros escolares. Las obras de teatro en las escuelas constituyeron un recurso didáctico de gran valía: en 1929 la Secretaría de Educación Pública puso en marcha un programa de obras de teatro para que los alumnos pudieran aprender en forma recreativa "la expresión de la nueva ideología de la Revolución y reforzar la nueva moral proletaria".

A través de la escuela rural los campesinos también impulsaron la creación de cooperativas para mejorar el rendimiento de su trabajo y liberarse de la "extorsión de los prestamistas, los acaparadores y los comerciantes".

Otro proyecto educativo de gran relevancia en esta época fue el impulso que se dio a la Escuela Nacional de Agricultura, destinada a la formación de ingenieros y técnicos agrícolas, que en 1923 se estableció en la ex Hacienda de Chapingo.

Ex Hacienda de Chapingo

# La revuelta
# de los cristeros

José Mora y del Río

**Sin duda, uno de los conflictos más difíciles y complejos que ›**

debió enfrentar el gobierno callista fue la llamada guerra cristera. Esta revuelta, en la que participaron miles de campesinos de diversas regiones del país bajo la consigna de defender la libertad religiosa y la fe católica, también respondía a otras motivaciones que iban más allá de un pretendido conflicto puramente religioso. Además de los campesinos y otros grupos populares, en este conflicto participaron diversas agrupaciones clericales y la alta jerarquía de la Iglesia católica, quienes promovieron e instigaron el enfrentamiento con el gobierno nacional.

Si bien el inicio de la revuelta cristera ocurrió durante el gobierno de Calles, sus causas deben buscarse en la inconformidad y oposición que surgió desde el momento en que se promulgó la Constitución de 1917. La primera manifestación en contra de la Carta Magna fue del arzobispo de la Ciudad de México, José Mora y del Río, el mismo año de su expedición; el arzobispo señaló que el clero mexicano no reconocía los artículos 3°, 5°, 24, 27 y 130, postura a la que luego se sumó el papa Benedicto XV. De este modo la Iglesia católica mexicana y la Santa Sede echaban a andar, como lo hicieran en el siglo XIX, otro conflicto en contra del Estado mexicano.

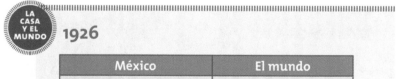

### 1926

| México | El mundo |
|---|---|
| • Inicia la rebelión cristera.<br>• Creación de la Liga Nacional Campesina.<br>• Fundación del Banco Nacional de Crédito Agrícola.<br>• Se reforman los artículos 82 y 83 constitucionales que aprueban la reelección presidencial. | • Estalla en Gran Bretaña una huelga general en apoyo a la lucha de los mineros británicos.<br>• La Sociedad de Naciones vota para admitir a Alemania como miembro de la misma. |

Cristero repartiendo panfletos

Entre los artículos que la jerarquía católica impugnó se ratificaba que la educación debía ser laica, que los bienes de la Iglesia eran patrimonio público y que ésta tenía prohibido adquirir bienes o tierras, invertir capital en negocios o empresas y llevar a cabo manifestaciones

religiosas públicas. También se prohibía que la Iglesia y sus sacerdotes participaran en actividades políticas y el Estado se reservaba el derecho de reglamentar los cultos religiosos. Es decir, la Iglesia católica no sólo rechazaba los artículos más trascendentes y avanzados de la Constitución, sino que además se negaba a reconocer el derecho de los mexicanos para decidir sobre los asuntos de su propio país.

A partir de entonces subieron de tono las tensiones entre la jerarquía católica, diversos grupos político–clericales y el gobierno. Cuando en julio de 1925 se expidió la denominada Ley Calles para reglamentar lo ya sancionado en la Constitución, la Iglesia y los grupos más conservadores decidieron iniciar un boicot político y económico contra el gobierno para impedir su aplicación, y reiteraron su propuesta de derogar los artículos constitucionales en cuestión. Ante la negativa del gobierno, la jerarquía eclesiástica hizo una "huelga de iglesias", cerró los templos y suspendió indefinidamente el culto a partir del 1° de julio de 1926.

Con ello el conflicto se recrudeció aún más y la Iglesia y sus huestes decidieron encaminarse a una confrontación directa. Para preparar y conducir el enfrentamiento contra Calles y su gobierno se echó mano de la Liga Nacional Defensora de la Libertad Religiosa (LNDLR), fundada un año antes, que agrupaba varias organizaciones clericales dirigidas por la Iglesia, entre otras, los Caballeros de Colón, la Acción Católica de la Juventud Mexicana y la Unión de Damas Católicas Mexicanas.

Entre 1926 y 1929 la rebelión, al grito de "Viva Cristo Rey", se desarrolló principalmente en los estados del centro y occidente del país. La Liga y un grupo de arzobispos y obispos actuaron como el "estado mayor" de los insurrectos. Miles de campesinos y personas humildes empuñaron las armas y se incorporaron a la revuelta, convencidos de que defendían su fe y sus creencias religiosas. Pero los promotores del conflicto no sólo estaban preocupados por cuestiones religiosas y clericales, también se plantearon el combate a la escuela laica y pública y el reparto de tierras para la formación de ejidos. Tras estos años de fieros combates contra el gobierno, y al ver diezmado poco a poco el movimiento, sus autores intelectuales, los altos jerarcas de la Iglesia, decidieron pactar la paz con el gobierno mexicano y dejaron literalmente a la buena de dios a los que habían empujado a la rebelión. En realidad ésta no fue una guerra por la religión o la fe, cuando menos para el clero; sus objetivos y propósitos verdaderos eran otros más "terrenales".

Boletín de guerra

Cristeros

# El retorno del caudillo:
## un intento inconcluso

Un trágico acontecimiento estremeció al país el
17 de julio de 1928: el general Álvaro Obregón
había sido asesinado. El caudillo de la Revolución
mexicana perdía la vida justo cuando estaba a
punto de volver a ocupar la presidencia de la
República. Todo mundo se preguntaba quiénes y
por qué razones habían segado la vida del general
sonorense. Un manto de incertidumbre se extendió
por toda la nación mexicana. ¿Qué ocurriría tras la
desaparición del caudillo?

# ¿Y dónde había quedado el
# "Sufragio Efectivo y no Reelección"?

**Aunque el presidente Calles ejerció la >** autoridad presidencial a partir de sus propias decisiones políticas y durante su mandato condujo los destinos de la nación por sí mismo, también entendió la necesidad de tener en cuenta la influencia y el peso político de que disponían otros jefes revolucionarios, en especial el ex presidente Álvaro Obregón, reconocido por todos como el caudillo de la Revolución. La habilidad política con que Calles se había manejado ante su paisano Obregón le permitió mantener cordiales relaciones y evitar contradicciones con su antiguo jefe. Sin embargo, Calles y la vida política nacional de algún modo seguían bajo la "la sombra del caudillo" y el influjo de su presencia.

**LA CASA Y EL MUNDO**

## 1927

| México | El mundo |
| --- | --- |
| • Álvaro Obregón lanza su candidatura para ocupar de nuevo la presidencia de México.<br>• Son ejecutados los generales Francisco Serrano y Arnulfo R. Gómez | • España culmina su campaña militar en Marruecos.<br>• El aviador estadounidense Charles Lindbergh realiza el primer vuelo trasatlántico en *El Espíritu de San Luis*. |

Si bien es cierto que durante esos años el general Obregón se había dedicado principalmente a las labores agrícolas y empresariales en su natal Huatabampo, Sonora, también lo es que había empezado a planear su retorno a la presidencia de la República. Para entonces estaba convencido de que ante la ausencia de verdaderos hombres preparados para continuar la obra de la Revolución, él mismo debía volver a "sacrificarse en beneficio de la patria". Sin embargo, para aspirar otra vez a la primera magistratura del país era necesario eliminar las normas constitucionales que impedían la reelección presidencial. Fue así que durante 1926 se puso en marcha la maquinaria política obregonista en el Congreso y fue sancionada la reforma al artículo 82

El retorno del caudillo: un intento inconcluso

de la Constitución, mediante la cual se aprobó la re-elección no consecutiva a la presidencia, reforma que tenía como único destinatario al caudillo sonorense.

Lo cierto es que el propósito reeleccionista del general Obregón no contó con el apoyo y la adhesión unánime de la familia revolucionaria. Para algunos significaba tirar por la borda y traicionar uno de los principios políticos fundamentales de la Revolución, inscrito en la propia Constitución: la no reelección. Entre los aspirantes que se habían opuesto a su reelección, ante el temor de que sus candidaturas se fueran al hoyo y se quedaran en la orfandad política, estaban Luis N. Morones, de la CROM, y dos generales hasta entonces muy apegados al caudillo: Francisco Serrano y Arnulfo R. Gómez, quienes desde ese momento se distanciaron de Obregón.

Al igual que en todas las sucesiones presidenciales del periodo posrevolucionario, la estabilidad política volvió a ponerse en entredicho y a fracturarse la cúpula de la cofradía revolucionaria. Ante la avalancha política en favor de Obregón, los generales Serrano y Gómez intentaron organizar un levantamiento militar, que fue reprimido y descabezado cuando apenas principiaba. Las fuerzas del gobierno capturaron a Serrano y varias decenas de sus seguidores fueron ejecutados en Huitzilac, mientras que el general Gómez fue aprehendido y fusilado en las serranías de Veracruz. Así, la ruta de Obregón hacia la presidencia quedó libre y, ya encarrerado, logró que el Congreso realizara otras modificaciones constitucionales: la ampliación del periodo presidencial a seis años y la reelección presidencial consecutiva. Todo indica que el hombre de Huatabampo se preparaba para gobernar el país por largo tiempo.

Cuando las elecciones presidenciales se efectuaron, el primer día de julio de 1928, Obregón resultó triunfador por una abrumadora mayoría, y a los pocos días fue declarado presidente electo de México. El caudillo había regresado… sin embargo, muy pocos sabían que sólo temporalmente.

Francisco Serrano y Arnulfo R. Gómez

Sepelio de Francisco Serrano

# El caudillo se incorpora a las
# filas de los difuntos

**Era casi mediodía cuando, bajo la calidez de ›**

los rayos del sol del 17 de julio de 1928, el presidente electo Álvaro Obregón caía asesinado en San Ángel, sitio cercano a la Ciudad de México. Las primeras noticias que sobre su muerte aparecieron en los diarios vespertinos de la capital informaban que durante un banquete en el restaurante La Bombilla, un joven dibujante y caricaturista de nombre José León Toral lo había acribillado a tiros. Decían que durante el banquete ofrecido en su honor por la diputación guanajuatense, Obregón había estado conversador y bromista como de costumbre, cuando intempestivamente su agresor se acercó para ultimarlo. Así, en forma súbita e inesperada, la carrera del otrora general invicto de la Revolución se truncaba, justo cuando se aprestaba para regresar a la cima del poder político.

La muerte de Obregón cimbró al país entero y provocó de inmediato un ambiente de gran zozobra e incertidumbre dentro del gobierno y las filas de la "familia revolucionaria". La sensación de esos momentos era densa e inestable, como las ráfagas de viento que anuncian la llegada de una tormenta. Sin duda, el gobierno de Calles y el régimen surgido de la Revolución enfrentaban la mayor y más profunda crisis que habían tenido que sortear y superar en esos años.

Las investigaciones en torno al asesinato del caudillo, conducidas por los partidarios más cercanos a Obregón, con acuerdo del propio presidente Calles, revelaron que Toral había decidido asesinar a Obregón porque le atribuía las medidas "anticlericales" y la "persecución"

El retorno del caudillo: un intento inconcluso

de las creencias religiosas de los mexicanos dictadas por el gobierno. Asimismo se supo que el joven fanático había sido instigado por Concepción Acevedo de la Llata, conocida como la *Madre Conchita*, su "consejera espiritual" y cómplice en el asesinato junto con otros individuos.

Sin embargo, muchos obregonistas pensaban que los verdaderos autores intelectuales del asesinato de Obregón se escondían tras la fachada de este grupo de "mochos" y fanáticos. Las trágicas circunstancias en las que había muerto el caudillo generaron múltiples rumores y especulaciones sobre un complot de Morones y los líderes de la CROM, los aliados más cercanos de Calles; en algunos casos estos rumores alcanzaban también al propio presidente. La situación de Calles en esos días fue difícil y compleja. Los obregonistas no sólo reclamaban el cabal esclarecimiento del crimen, sino que se aglutinaron de manera amenazadora para reclamar la herencia política del caudillo y hacerse cargo de la futura conducción del país. Por ello, durante esos días la principal preocupación de Calles fue mantener la unidad del grupo gobernante y de toda la gran "familia revolucionaria" para impedir que la nación se sumergiera en una nueva guerra civil.

A contracorriente con las preocupaciones del poder, en las calles, teatros y periódicos se dejaban escuchar la sabiduría y el humor popular en torno a los sucesos de esos días. En una obra de teatro de carpa de la capital se hacía circular un diálogo empapado de humor e ironía que alcanzó gran divulgación: "¿Quién mató a Obregón? ¡Cálles… e!". Varias obras de teatro y numerosas caricaturas reflejaron los acontecimientos de la época y aprovecharon para criticar el sistema político y a sus más "célebres" representantes.

*Madre Conchita y León Toral*

León Toral en juicio

---

LA CASA Y EL MUNDO

## 1928

| México | El mundo |
| --- | --- |
| • Álvaro Obregón es reelecto presidente constitucional. | • Se reconoce el sufragio femenino en Gran Bretaña. |
| • Es asesinado Álvaro Obregón. | • El poeta español Federico García Lorca publica *El romancero gitano*. |
| • Último informe de gobierno de Plutarco Elías Calles. | |
| • Emilio Portes Gil asume interinamente la presidencia de la República. | • Se pone en marcha el primer plan quinquenal en la URSS. |

PARTIDO NACIONAL REVOLUCIONARIO
COMITE – ORGANIZADOR
COMPAÑIA CONSTRUCTORA LATINO AMERICANA S. A.
DE TAMPICO

# En la cumbre del maximato
# Calles, árbitro
# del poder político

Las dificultades sociales, políticas y económicas
que nuestro país debió enfrentar en los inicios de
la tercera década del siglo XX, motivaron cambios
trascendentales en la organización de la vida
nacional. A Plutarco Elías Calles se le reconoce
como el artífice principal de los proyectos que
empezaron a construirse durante esos años:
era el hombre de las decisiones en el país.

# Cuando Calles habló y la
# institucionalización se hizo

**Superar la crisis política que produjo la muerte de ›**

Obregón fue la tarea prioritaria que Calles enfrentó durante el turbulento verano de 1928. Para hacerlo puso en juego su gran habilidad política y supo actuar con tacto y mesura para evitar la fractura de las "fuerzas de la Revolución" y buscar el acuerdo con todas ellas. Debía resolver el problema más urgente: la designación del presidente provisional que le sucedería al término de su mandato, el 1° de diciembre de ese año.

Calles también llegó a la conclusión que era necesario aprovechar esos aciagos momentos para proponer la creación de nuevos mecanismos dentro de la vida política nacional, a fin de garantizar que en adelante las disputas por el poder político se resolvieran por vías pacíficas y electorales. Así, durante su cuarto y último informe de gobierno, el 1° de septiembre de 1928, expresó que era indispensable dejar atrás de una vez por todas la época de los caudillos para que en el futuro la vida pública y la política nacional se canalizaran por la vía "institucional" y así arribar de manera definitiva a un régimen de instituciones, leyes y verdaderos partidos políticos.

Asimismo hizo un llamado para que las "fuerzas de la Revolución" se unificaran en un solo frente político e impidieran su mutuo debilitamiento por las frecuentes luchas entre sí, al tiempo que convocó a las distintas tendencias políticas del país para que formaran sus propios partidos y contendieran dentro de los cauces institucionales.

En la cumbre del maximato. Calles, árbitro del poder político

Emilio Portes Gil protesta como presidente

Su propuesta resultó fundamental para obtener acuerdos con las distintas facciones y grupos revolucionarios. Para empezar le permitió unificar la mayoría de las voluntades en torno a la designación del presidente provisional. A propuesta de Calles, y con la aceptación de los principales jefes políticos y militares, se resolvió que la primera magistratura debía ocuparla el licenciado tamaulipeco Emilio Portes Gil, a quien por sus antecedentes políticos se le consideraba el hombre idóneo para atemperar y equilibrar las tensiones dentro del bloque gobernante.

Sin embargo, la iniciativa de Calles en pro de la "institucionalización" fue vista con recelo por algunos grupos, especialmente entre los obregonistas. En tanto que otros, incluido Portes Gil, le demandaron a cambio tomar distancia política de sus aliados de la CROM, puesto que la desconfianza hacia Morones y los líderes de esa agrupación representaba un obstáculo para afianzar la unidad que se necesitaba en esos momentos. Calles aceptó, y con su alejamiento, más la exclusión política de la CROM, se inició el declive de la hasta entonces poderosa central obrera y la influencia política de sus dirigentes corruptos, lo que en el humorismo político de la época se llamó "el desmoronamiento de Morones". Calles debió pagar algunos costos para sacar avante sus proyectos, pero pudo amarrar los primeros acuerdos para caminar hacia la "institucionalización" del país.

# El surgimiento del partido con los colores verde, blanco y rojo:
# el Partido Nacional Revolucionario

**La propuesta esbozada por Calles en su ›**

último informe presidencial sobre la formación del partido político de los "revolucionarios" empezó a concretarse al poco tiempo. Durante los últimos días de su gobierno se dedicó afanosamente a sostener reuniones con sus colaboradores más cercanos, en las que se precisaron las ideas sobre la organización de la nueva formación política. También desplegó una intensa labor de convencimiento entre diputados, senadores, gobernadores, altos mandos del ejército y dirigentes de partidos regionales a fin de obtener su adhesión y respaldo para la constitución del partido.

El mismo día que Calles dejó el Palacio Nacional convocó a una reunión para integrar la comisión organizadora del futuro partido, la cual quedó conformada por un grupo de políticos afines a su persona y presidida por el propio Calles. La naciente organización recibió desde ese mismo día el nombre de Partido Nacional Revolucionario (PNR). De acuerdo con los planes de trabajo de los organizadores, a principios de enero de 1929 se lanzó la convocatoria para la celebración de su convención constituyente, que se llevaría a cabo del 1° al 5 de marzo de ese año en la ciudad de Querétaro. El documento estipulaba que la convención se integraría con los delegados de todos los partidos y agrupaciones revolucionarias que aceptaran integrarse al PNR.

Fundación del PNR

En la cumbre del maximato. Calles, árbitro del poder político

Mientras llegaba la fecha para celebrar la convención, el comité organizador se dio a la tarea de redactar los documentos fundacionales que serían aprobados en la asamblea: declaración de principios, programa y estatutos. Sin embargo, el asunto más importante que debía resolver la convención era la designación del candidato presidencial del PNR y, por tanto, el principal interés de todos los grupos convocados estaba puesto en ello.

En esos días empezaron a sonar los nombres de dos aspirantes a la candidatura del PNR: el general Aarón Sáenz, hombre de reconocida filiación obregonista, y el ingeniero michoacano Pascual Ortiz Rubio, quien luego de su desempeño como diplomático había regresado al país para ocupar la Secretaría de Gobernación durante el gobierno interino de Emilio Portes Gil. Cuando la anunciada convención finalmente se llevó a cabo, la mayoría de los delegados se pronunciaron en favor de Ortiz Rubio, el cual por aclamación fue ungido candidato presidencial del nuevo partido.

Era evidente que los callistas habían obtenido la victoria: surgió el "partido de la Revolución" y triunfó el candidato preferido de Plutarco. A partir de entonces los miembros de la "familia revolucionaria" quedaron integrados en un mismo partido, y sus discrepancias políticas serían enfrentadas y resueltas conforme a las normas y la disciplina de su agrupación. El nuevo partido pronto habría de convertirse en una gran maquinaria político–electoral que impondría su predominio en la vida del país y concentraría la representación política de la sociedad mexicana, primero mediante el PNR y, en décadas posteriores, a través de sus partidos herederos (PRM y PRI). Cabe señalar que el Partido Nacional Revolucionario incorporó en su emblema, en forma por demás simbólica, los tres colores de la bandera nacional.

## LA CASA Y EL MUNDO · 1928

### México

- Fundación del Partido Nacional Revolucionario (PNR). Postula como candidato presidencial a Pascual Ortiz Rubio.
- Estalla la rebelión "escobarista".
- Finaliza la guerra cristera.
- Se otorga la autonomía a la Universidad Nacional de México.

### El mundo

- La Santa Sede llega a un concordato con el gobierno italiano y se constituye el Estado Vaticano.
- Caída de la bolsa de valores en Wall Street e inicio de la crisis económica mundial.
- Ernest Hemingway escribe *Adiós a las armas*.

Manifestción del PNR

Elecciones 1929

# El ascenso de Calles a
# "Jefe Máximo"

**A partir de entonces la presencia e influencia política** ›

de Calles se tornaron decisivas en la vida nacional. La inmensa mayoría de los gobernantes y grupos políticos lo reconocieron como el hombre más representativo y con mayor autoridad dentro de las filas de la "familia revolucionaria". Su conversión en el principal actor dentro de la política mexicana, incluso por encima de la autoridad del presidente en turno, condujo a que fuese nominado como "Jefe Máximo de la Revolución". Por ello, durante los años que Calles tutelaría la vida del país fueron conocidos como los del "maximato".

Aun cuando en los inicios del "maximato" se expresaron algunas resistencias, éstas fueron reducidas o acalladas, como la llamada revuelta "escobarista" (marzo de 1929), emprendida por varios jefes militares y gobernadores obregonistas y acaudillada por el general Gonzalo Escobar, quienes se opusieron a la formación del PNR y se negaron a reconocer la autoridad política de Calles.

De este modo, la primera campaña presidencial desplegada por el PNR con la candidatura de Ortiz Rubio logró avasallar la oposición del Partido Antirreeleccionista, que postuló a José Vasconcelos, y la lucha electoral de la izquierda, agrupada en el Bloque Obrero y Campesino. Tras el triunfo electoral del PNR, Portes Gil concluyó su interina-

Revuelta "escobarista"

En la cumbre del maximato. Calles, árbitro del poder político

to y Pascual Ortiz Rubio asumió la presidencia a principios de 1930.

Cabe mencionar que pese a las dificultades señaladas, durante el interinato de Portes Gil se desplegaron algunas acciones trascendentes: se alcanzaron acuerdos con las autoridades eclesiásticas para apaciguar la rebelión de los cristeros; se concedió la autonomía a la Universidad Nacional, que en adelante se llamaría Universidad Nacional Autónoma de México, y se reactivó el reparto de tierras entre los grupos agraristas que habían contribuido a sofocar a los cristeros y la asonada de los escobaristas.

Pero cuando todo apuntaba a que con la llegada de Ortiz Rubio a la presidencia el país se encaminaría hacia una época de mayor tranquilidad y estabilidad, inesperadamente los nubarrones de la gran crisis económica mundial ensombrecieron el horizonte nacional y muy pronto sus estragos se

Pascual Ortiz Rubio

**LA CASA Y EL MUNDO**

## 1930

| México | El mundo |
|--------|----------|
| • Inicia el periodo presidencial de Pascual Ortiz Rubio.<br>• Lázaro Cárdenas es nombrado presidente del PNR. | • Gandhi comienza en la India la campaña de desobediencia civil contra el monopolio británico en la producción de sal. |

dejaron sentir en la vida económica y social. El producto interno y los ingresos públicos disminuyeron de manera drástica; la producción industrial, agrícola y minera, así como las exportaciones, registraron una caída alarmante; el peso fue devaluado y la carestía se disparó; los salarios bajaron y muchas empresas cerraron, provocando el aumento del desempleo. Los resultados de esta crisis económica afectaron principalmente las condiciones de vida de las masas obreras y campesinas.

En estas circunstancias, la presidencia de Ortiz Rubio se desarrolló en un mar de enormes dificultades, a las que se sumarían las genera-

Nota periodística de la época

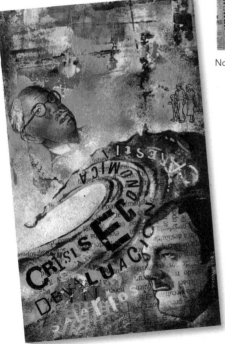

### 1931-1932

| México | El mundo |
|---|---|
| • Surgen las tensiones políticas entre Calles y Ortiz Rubio. | • Se proclama la República en España. |
| • Pascual Ortiz Rubio renuncia a la presidencia de la República. | • Se proclama en Manchuria, China, el Imperio de Manchuko bajo dominio japonés. |
| • Abelardo L. Rodríguez es designado presidente interino. | • Franklin D. Roosevelt es elegido presidente de Estados Unidos de América. |

En la cumbre del maximato. Calles, árbitro del poder político

das por la injerencia y la presión que ejercía el "Jefe Máximo", quien en no pocos casos decía la última palabra y decidía sobre los principales asuntos del gobierno y la política nacional. Carente de fuerza propia, agobiado por los problemas del país, víctima de su dependencia política del general Calles y su distanciamiento con éste, Ortiz Rubio optó por renunciar a su cargo en septiembre de 1932. El "Jefe Máximo" se imponía una vez más.

Antonio López abre

## LA CRISIS DEL 29

El 29 de octubre de 1929 se anunció, como un negro presagio, la quiebra de la Bolsa de Valores de Wall Street en Nueva York. Era el principio de un terremoto económico de grandes magnitudes que azotaría al mundo entero durante los siguientes años: la crisis económica mundial de 1929.

Esta crisis tuvo como epicentro las entrañas mismas del país financiera y económicamente más poderoso y con mayor desarrollo industrial dentro de la economía mundial: Estados Unidos. Entre otras causas, la crisis fue resultado del descenso en la demanda de la producción estadounidense en el mundo y los crecientes adeudos a su sistema financiero por los efectos de la Primera Guerra Mundial. El abismo en el que se sumergió la economía estadounidense se tradujo en la caída de su producción industrial, agrícola y de muchos otros bienes de consumo. Cientos de bancos quebraron y miles de centros industriales cerraron sus puertas. La mayor parte de los cuentahabientes perdieron sus ahorros por la quiebra bancaria y decenas de miles perdieron sus bienes y propiedades ante la imposibilidad de saldar sus deudas; la gran mayoría de los agricultores se fueron a la ruina.

La consecuencia más lacerante y dramática fue el desempleo de millones de obreros y trabajadores a escalas no imaginadas. Las filas de miserables que sobrevivían de cualquier modo se tornaron casi infinitas.

Muy pronto la crisis se expandió por todos los confines del mundo y arrastró lo mismo a las naciones poderosas que a las pobres. Puesto que nuestra economía dependía en gran medida de la estadounidense, la crisis pronto dejó sentir sus efectos en México: en varias ramas de la industria y la agricultura disminuyó la producción ante la baja de las exportaciones al mercado del país del norte. El cierre de empresas generó más desempleo, agravado por el regreso de miles de compatriotas que perdieron sus fuentes de trabajo en Estados Unidos. Debieron pasar varios años para que la economía mundial y nacional empezaran a recuperase de los efectos de la crisis de 1929. La famosa película de Charles Chaplin, *Tiempos modernos*, refleja con gran sensibilidad y genialidad el drama de los trabajadores y del pueblo estadounidense en esa época de crisis.

# El declive del maximato
# y la renovación
# en la Revolución

En 1934 un joven general revolucionario recorría el territorio mexicano: era Lázaro Cárdenas en su campaña electoral para la presidencia de la República. Asimismo, nuevos vientos populares hacían ondear con renovado ímpetu las banderas de la Revolución. Tierra, trabajo y educación eran un reclamo cada vez más fuerte e insistente entre campesinos, obreros y amplios sectores populares. Éstas fueron las voces y las demandas que el general michoacano escuchó en todos los lugares y rincones durante su larga marcha por el país.

# Tiempos de crisis,
# tiempos de cambios

**Para hacerse cargo del último trecho del mandato presidencial de >**

Calles y Aberlardo L. Rodriguez

Ortiz Rubio fue designado como jefe del Ejecutivo el general Abelardo L. Rodríguez, paisano y político muy ligado al ex presidente Calles.

Para entonces, los escasos beneficios alcanzados en materia social y el mejoramiento de las condiciones de vida de la mayoría de la población, más los efectos de la crisis económica y la virtual interrupción del reparto agrario, habían propiciado un creciente malestar general, especialmente entre los campesinos y los trabajadores. Asimismo, dentro del propio grupo gobernante empezaron a externarse opiniones que demandaban retomar el pleno cumplimiento de los postulados de la Revolución y la Constitución de 1917, camino del que se habían apartado, según afirmaban, los gobiernos de los últimos años.

A su vez, estas circunstancias detonaron el impulso de nuevas luchas sociales y la reagrupación de las organizaciones obreras y campesinas. En este contexto, Vicente Lombardo Toledano y otros dirigentes que se habían separado de la CROM fundaron en 1933 la Central General de Obreros y Campesinos de México (CGOCM), que pronto logró integrar la mayor parte de los trabajadores y sindicatos hasta convertirse en la más importante organización obrera del país. Desde su formación, dicha central desarrolló una intensa lucha sindical, y durante el gobierno de Abelardo L. Rodríguez estalló un gran número de huelgas para mejorar los salarios y las condiciones laborales de los trabajadores. Al igual que la CGOCM, otras organizaciones sindicales independientes del gobierno se fortalecieron, y el movimiento obrero cobró un nuevo impulso que lo ubicó como una fuerza determinante en la vida del país.

Por su parte, las luchas agrarias por el reparto y dotación de tierras para la formación de ejidos, así como la organización de los trabajadores agrícolas retomaron aliento a lo largo del país y se avanzó en la unificación de los campesinos al crearse, en 1933, mediante la integración de las ligas campesinas de varios estados, la Confederación Campesina Mexicana.

En medio de este ambiente empezaba a definirse la sucesión presidencial de 1934. Los distintos aspirantes a la candidatura del PNR entendían, por supuesto, que la opinión y la voluntad del "Jefe Máximo" serían decisivas en la designación del candidato. Al final de la recta sólo quedaron dos contendientes: el general coahuilense Manuel Pérez Treviño y el joven divisionario michoacano Lázaro Cárdenas.

El respaldo y las muestras de adhesión hacia Cárdenas, expresadas por múltiples organizaciones campesinas, grupos de trabajadores y amplios sectores populares, así como el apoyo de un importante sector del ejército y diversos grupos políticos dentro del gobierno, fueron inclinando la voluntad política de Calles en favor del político michoacano. Su ascendiente social y prestigio como hombre de la Revolución resultaban de gran valía en esos momentos para superar la etapa de crisis y afianzar la estabilidad del régimen posrevolucionario y, de pasada, garantizar la continuidad del maximato.

En la convención nacional del PNR, celebrada en diciembre de 1933, Cárdenas fue nombrado candidato presidencial y se aprobó el llamado Plan Sexenal, documento mediante el cual se pretendían determinar el programa y las acciones de gobierno para el periodo presidencial 1934-1940.

En el curso de los siguientes meses Cárdenas desplegó una intensa campaña electoral y recorrió la mayor parte del territorio, lo que le permitió dialogar con decenas de miles de mexicanos y escuchar sus problemas y demandas. A lo largo de su recorrido, Cárdenas fortaleció sus vínculos y alianzas con amplios grupos populares, obreros y campesinos, con

Apoyo popular a Cárdenas

el compromiso de renovar y profundizar el proyecto social de la Revolución, especialmente en relación con la reforma agraria, los derechos de los trabajadores y la educación.

Apoyado en estas vertientes populares, Lázaro Cárdenas fue consolidando su proyección política y construyendo un nuevo bloque de fuerzas sociales y políticas en torno a su figura y a su programa de gobierno. De este modo, el general triunfó de manera absoluta en las elecciones de 1934, y el 1° de diciembre de ese año asumió el cargo de presidente constitucional de México. Muchos pensaron que el gobierno del michoacano sólo sería una etapa más del maximato.

## LA CASA Y EL MUNDO

### 1933-1934

| México | El mundo |
|---|---|
| • Aprobación del programa de gobierno para el periodo 1934-1940, con el titulo de *Plan Sexenal*. <br> • Lázaro Cárdenas es postulado candidato a la presidencia por el PNR e inicia su campaña electoral. | • Adolfo Hitler es nombrado canciller de Alemania. <br> • Franklin D. Roosevelt aplica su política económica del Nuevo Trato. |
| • Se establece la educación socialista en México. <br> • Triunfa el general Lázaro Cárdenas en las elecciones presidenciales. <br> • Cárdenas asume la presidencia de México. | • Hitler consolida su posición en el gobierno alemán y se autonombra Führer y canciller del Riech. <br> • Mao Tse-tung encabeza la Larga Marcha del Ejército Rojo en China. |

# La hora del adiós para el
# "Jefe Máximo"

**El gobierno del general Cárdenas pronto empezó** > a manifestar su determinación de acelerar las respuestas a las demandas sociales de los obreros y campesinos. Desde los primeros meses de su administración dio prioridad a la reforma agraria e intensificó el reparto de tierras, a la vez que planteó avanzar en forma más efectiva en la destrucción del latifundio. Con esta política las movilizaciones agrarias se extendieron por todo el campo mexicano y la mayoría de las organizaciones campesinas respaldaron las acciones y medidas de su política agraria. En cuanto al movimiento obrero, el gobierno del presidente Cárdenas continuó alentando el reclamo de los derechos de los trabajadores y la unificación de sus agrupaciones, a la vez que se mostró respetuoso con las múltiples acciones y huelgas en diversos lugares del país. De inmediato puso en marcha el proyecto de la educación socialista por todo el territorio nacional y se multiplicaron las escuelas para los hijos de los campesinos y trabajadores.

La agitación social y las movilizaciones populares empezaron a verse con recelo; las acciones de las organizaciones obreras y campesinas y del propio gobierno generaron un clima de malestar político entre los grupos callistas. Poco a poco se fue dando una profunda división entre los seguidores del "Jefe Máximo" y la administración cardenista y las fuerzas que la respaldaban. Calles decidió mostrar su autoridad y arremeter en contra de las agrupaciones obreras y campesinas, y las orientaciones políticas del gobierno de Lázaro Cárdenas. Sin embargo, Calles no advirtió los cambios que se producían en el país y que para entonces ya no disponía de la fuerza suficiente para continuar deci-

Cárdenas con campesinos

**LA CASA Y EL MUNDO** **1935**

| México | El mundo |
| --- | --- |
| • Cárdenas intensifica el reparto agrario.<br>• Ruptura política entre el "Jefe Máximo de la Revolución" y el presidente Cárdenas.<br>• Formación del Comité Nacional de Defensa Proletaria. | • Alemania introduce el servicio militar obligatorio.<br>• Persia cambia su nombre por el de Irán.<br>• Italia invade Etiopía. |

Educación socialista

diendo el rumbo de la política nacional. El gobierno de Cárdenas había logrado aglutinar la mayor parte de los sectores populares y asegurar la lealtad de diversos grupos políticos del gobierno, así como de un importante sector del ejército.

En junio de 1935 se precipitó el rompimiento entre Calles y el gobierno cardenista. A lo largo del país se produjeron movilizaciones obreras y campesinas para respaldar a Cárdenas y condenar la postura política de Calles y sus seguidores. Al respecto resultaron de gran importancia las acciones del Comité Nacional de Defensa Proletaria, que agrupó a casi la totalidad de los sindicatos y organizaciones obreras con la conducción de Lombardo Toledano y otros dirigentes de la izquierda mexicana.

En esas circunstancias el general Cárdenas reorganizó su gobierno, removió gobernadores, diputados y senadores, y depuró el ejército de los elementos adictos a Calles. Sobrevino así el derrumbe del poder político del hombre de Guaymas, quien tras su derrota debió abandonar el país. A partir de entonces el poder presidencial de Cárdenas y sus sucesores sería ejercido a plenitud, sin la "sombra de un caudillo" o de un "Jefe Máximo de la Revolución". Los tiempos del "maximato" callista habían finalizado.

# Una mirada
# desde el presente

Calles en convención de su partido

Sin duda México ha cambiado desde los tiempos en que Plutarco Elías Calles brillaba sobre el firmamento político nacional. Pero también es cierto que esa época, como otras de nuestra historia, ha dejado huellas y herencias para nuestra vida presente. La nación mexicana actual es, a fin de cuentas, resultado de la obra colectiva de una larga sucesión de generaciones de hombres y mujeres que la han vivido y forjado.

Como sucede en cada época, la generación que asumió la conducción del país tras el fin de la contienda revolucionaria se propuso enfrentar los retos y desafíos de su tiempo. La principal tarea era reorganizar el país y emprender la construcción de un nuevo futuro para los mexicanos. Para llevarla a cabo era necesario superar los conflictos y tensiones que subsistían en la vida política y avanzar hacia un régimen más democrático sustentado en normas e instituciones más estables.

Votaciones de 1924

La contribución más importante del periodo en que Plutarco Elías Calles gobernó y dominó el escenario nacional fue sentar las bases para el funcionamiento institucional del régimen y el sistema político mexicano del siglo XX, que se traduciría en la eliminación y ausencia de levantamientos y golpes militares. Muy pocas naciones transitaron el siglo XX con la estabilidad política que mantuvo la nación mexicana, y que contrastó con la de los innumerables golpes y dictaduras militares que asolaron la mayor parte de los pueblos latinoamericanos.

La posibilidad de contender políticamente hoy por las vías electorales y ciudadanas se debe en buena medida al proyecto emprendido por Calles para la creación de un régimen de partidos políticos. No en balde Calles fue el forjador del "partido de la Revolución".

Sin embargo, muchas aspiraciones democráticas de los mexicanos todavía continúan pendientes y constituyen un reto para las generaciones de los inicios del siglo XXI.

Fundación del PNR

# El informe del
# presidente Calles

1° de septiembre de 1928. (Fragmento)

*La circunstancia de que quizá por primera vez en su historia se enfrenta México con una situación en la que la nota dominante es la falta de caudillos, debe permitirnos (...) orientar definitivamente la política del país por rumbos de una verdadera vida institucional, procurando pasar, de una vez por todas, de la condición de país de un solo hombre, a la nación de instituciones y de leyes. Pues bien, señores diputados, se presenta hoy a vosotros (...) a los hombres que han hecho la Revolución (...) a la totalidad de la familia mexicana, la oportunidad (...) de hacer un decidido y firme y definitivo intento para pasar de la categoría de pueblo y de gobierno de caudillos, a la más alta y más respetada y más productiva y más pacífica y más civilizada condición de pueblo de instituciones y de leyes.*

A través de este documento leído por el presidente Calles ante el Congreso de la Unión, luego de la muerte del general Obregón, podemos conocer la propuesta que hizo para eliminar las revueltas y levantamientos militares dentro de la vida política del país y buscar que en adelante ésta se condujera a través de las leyes, las instituciones y los procesos electorales. Se ha reconocido que en dicho documento se expusieron las bases para el inicio de la institucionalización de la vida política nacional. Por ello constituye una fuente documental de gran importancia para entender y comprender la historia mexicana del siglo XX.

Los documentos escritos, testimonios orales y grabaciones, imágenes fotográficas, películas y materiales audiovisuales, así como múltiples objetos materiales, constituyen las fuentes y las materias primas que el historiador interroga y estudia para escribir y reconstruir la historia. En este caso, un documento nos acerca a la historia de los tiempos de Plutarco Elías Calles.

José Vasconcelos

**Después de la Revolución**
**1924-1935**

se terminó de imprimir en enero de 2009
en los talleres de Editorial Impresora Apolo,
Centeno 150 L-6, Col. Granjas Esmeralda,
C.P. 09810, México, D.F.